解 答 篇

 1. これはだれのですか。会話を聞いて、例のように線を書いてください。

---解答---
①―ノート　②―えんぴつ　③―じしょ、ボールペン

2. 例のように正しい会話を選んでください。

---解答---
例a　①b　②b　③b　④b　⑤a　⑥b　⑦b　⑧a

 先生の写真はどれですか。会話を聞いて、先生の写真を選んでください。

---解答---
d

 会話を聞いて、ひらがなで書いてください。

① Ａ：あの人はちゅうごくじんですか。

Ｂ：いいえ、ちがいます。にほんじんです。

② Ａ：すみません。それはわたしのめがねです。

Ｂ：ああ、あなたのですか。はい、どうぞ。

Ａ：どうもありがとうございます。

2 これは一ついくらですか。 📼 💿

 1．会話を聞いて、例のように会話の内容と合っている絵を選んでください。

━━解答━━━━━━━━━━━━━━━

例a　①e　②d　③g　④h

2．助数詞に注意して会話を聞いて、例のように正しい絵を選んでください。

━━解答━━━━━━━━━━━━━━━

例b　①g　②c　③a　④f

駅のキヨスクでの会話です。よく聞いて、お客さんが買った物の値段を書いてください。

━━解答━━━━━━━━━━━━━━━

①100　②380　③500　④1000

 例のようにひらがなと数字で書いてください。

例　A：あのすみません。この自転車いくらですか。
　　　B：これですか。これは　いちだい　25000　円です。

①　A：あの、すみません。このシャープペン、いくらですか。
　　B：これですか。これは　いっぽん　330　円です。

②　A：あの、すみません。この絵はがき、いくらですか。
　　B：これですか。これは　いちまい　110　円です。

③　A：あの、すみません。この消しゴム、いくらですか。
　　B：これですか。これは　いっこ　90　円です。

④　A：あの、すみません。このテレビ、いくらですか。
　　B：これですか。これは　いちだい　79800　円です。

３ 300円のを２キロください。

１．男の人はいくら払いましたか。例のように答えを書いてください。

───**解答**───────────────

例 ２０ ０　①１０ ０ ０　②６１０　③９００

２．例のように正しいほうに○をつけてください。

───**解答**───────────────

例 ｂ　①ｂ　②ｂ　③ａ　④ｂ　⑤ａ

会話を聞いて、レシートに書いてください。

───**解答**───────────────

りんご ４００，　小計 １０００，　消費税 ５０，　釣り ５０

会話を聞いて、ひらがなで書いてください。

① A：いらっしゃいませ。

　　B：このひゃくえんのえんぴつをろっぽんください。

　　A：はい、ろっぴゃくえんです。

② A：このノートはいくらですか。

　　B：それはいっさつさんびゃくえんです。

　　A：じゃあ、これをじゅっさつください。

　　B：はい、かしこまりました。

　　A：はい。さんぜんえん。

　　B：まいどありがとうございます。

4 来週の木曜日はわたしの誕生日です。

Tape 1-A CD 1-4

 1．絵と合っている会話に○、ちがうものに×をつけてください。

――解答――

例×　①×　②○　③×　④○

2．カレンダーと合っている会話に○、ちがうものに×をつけてください。
　今日は４月１９日、金曜日です。

――解答――

例×　①○　②×　③×　④○　⑤○　⑥×

3．図書館の案内を見て、正しい会話に○、正しくないものに×をつけてください。

――解答――

例×　①×　②○　③○

 1．まり子さんの誕生日はいつですか。カレンダーを見ながら会話を聞いて答えてください。

2．もう一度会話を聞いて、質問に答えてください。はじめに少し質問を読んでください。
　では、聞いてください。

――解答――

５月５日（子どもの日）　①１９さい　②４がつ

数字とひらがなで書いてください。

　今日は５がつ３か、「憲法記念日」です。きょうからあさってまでお休みです。あさっては、
「こどものひ」です。せんげつの２９にちもお休みでした。「みどりのひ」でした。

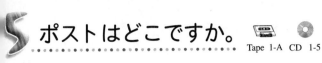
ポストはどこですか。

 1．会話を聞いて、絵と合っているものに〇、ちがうものに✕をつけてください。

解答

例〇　①〇　②✕　③✕　④〇　⑤✕　⑥✕

2．会話を聞いて例のように選んでください。その後で確かめてください。

解答

例a　①a　②b　③a　④b　⑤a

 会話を聞いて、例のように、選んでください。

解答

例a　①c　②a　③b　④b

 ひらがなで書いてください。

　わたしのアパートは中野（に）あります。部屋は２０１号室です。この部屋（に）タンさんといっしょにいます。南がわ（に）窓（が）あります。窓（の）そば（に）机があります。机の上（に）、本や電気スタンドがあります。テレビは本だな（の）上（に）あります。電話は、まだありません。

6 <ruby>12<rt>じゅうに</rt></ruby><ruby>時<rt>じ</rt></ruby>にマリアさんのアパートへ<ruby>行<rt>い</rt></ruby>きます。

1. <ruby>絵<rt>え</rt></ruby>を<ruby>見<rt>み</rt></ruby>てください。リーさんは<ruby>今<rt>いま</rt></ruby>、<ruby>学校<rt>がっこう</rt></ruby>にいます。a・b・cの<ruby>文<rt>ぶん</rt></ruby>を<ruby>聞<rt>き</rt></ruby>いて、<ruby>正<rt>ただ</rt></ruby>しいものを<ruby>選<rt>えら</rt></ruby>んでください。

解答

例b　①c　②b　③b

2. <ruby>例<rt>れい</rt></ruby>のように，a・b・cの<ruby>中<rt>なか</rt></ruby>から<ruby>正<rt>ただ</rt></ruby>しい<ruby>会話<rt>かいわ</rt></ruby>を<ruby>選<rt>えら</rt></ruby>んでください。

解答

例b　①c　②b　③a　④c　⑤c

1. これはマリアさんのスケジュールです。この<ruby>表<rt>ひょう</rt></ruby>を<ruby>見<rt>み</rt></ruby>て、<ruby>会話<rt>かいわ</rt></ruby>を<ruby>聞<rt>き</rt></ruby>いて<ruby>答<rt>こた</rt></ruby>えを<ruby>書<rt>か</rt></ruby>いてください。<ruby>今日<rt>きょう</rt></ruby>は<ruby>何曜日<rt>なんようび</rt></ruby>ですか。

解答

きんようび

2. スケジュールの<ruby>表<rt>ひょう</rt></ruby>を<ruby>見<rt>み</rt></ruby>て、<ruby>質問<rt>しつもん</rt></ruby>の<ruby>正<rt>ただ</rt></ruby>しい<ruby>答<rt>こた</rt></ruby>えを<ruby>例<rt>れい</rt></ruby>のように<ruby>選<rt>えら</rt></ruby>んでください。

解答

例c　①b　②c　③a　④b

<ruby>ひらがなで<rt>か</rt></ruby><ruby>書<rt>か</rt></ruby>いてください。

①リーさんは<ruby>1972年<rt>せんきゅうひゃくななじゅうにねん</rt></ruby>（に）<ruby>中国<rt>ちゅうごく</rt></ruby>（の）<ruby>上海<rt>しゃんはい</rt></ruby>（で）うまれました。

　<ruby>去年<rt>きょねん</rt></ruby>（の）<ruby>12月<rt>じゅうにがつ</rt></ruby>（に）<ruby>日本<rt>にほん</rt></ruby>（へ）きました。

　あさって（から）<ruby>大学<rt>だいがく</rt></ruby>（で）べんきょうします。

②ハクさんはきのう（は）どこ（も）いきませんでした。<ruby>1日中<rt>いちにちじゅう</rt></ruby>アパート（に）いました。

　あした（は）<ruby>友達<rt>ともだち</rt></ruby>（と）<ruby>新宿<rt>しんじゅく</rt></ruby>（へ）いきます。<ruby>新宿<rt>しんじゅく</rt></ruby>（まで）<ruby>電車<rt>でんしゃ</rt></ruby>（で）<ruby>1時間<rt>いちじかん</rt></ruby>（ぐらい）かかります。

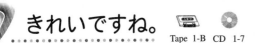

きれいですね。

1. 会話を聞いて、正しい絵を選んでください。

___解答___
_____

例b　①b　②b　③b　④a　⑤b

2. 例のように選んでください。その後で確かめてください。

___解答___
_____

例a　①b　②a　③b　④a　⑤b

会話を聞いて質問に答えてください。はじめに質問を読んでください。では会話を聞いてください。

___解答___
_____

①にぎやかな　②きれいな　③かるく、おもい　④しろい（しろいいろ）

　　わたしの家族は6人です。おばあさん、お父さん、お母さん、お兄さんとわたしと妹です。おばあさんは80歳ですが、とてもげんきです。父は、医者です。毎日いそがしいです。母はとてもやさしいです。兄は会社員です。まじめな人です。妹はとてもかわいいです。

8 きのう、何をしましたか。

Tape 1-B CD 1-8

1. 例のように正しい答えを選んでください。

---解答---------------------------------

例a　①a　②b　③b　④a　⑤b　⑥b　⑦a　⑧b　⑨a　⑩b

2. 短い会話を聞いてください。次にa・bの文を聞いて、会話の内容に合っているものを選んでください。

---解答---------------------------------

例a　①b　②b　③a　④b　⑤b

田中さんはきのう何をしましたか。はじめに絵を見ながら文を聞いてください。

---解答---------------------------------

d, e, h

わたしは、毎朝7時に<u>おきます</u>。そして、朝ごはんを<u>たべます</u>。8時に学校へいきます。授業は9時半から3時までです。わたしの先生は<u>しんせつな</u>先生です。4時にうちへかえります。毎日、宿題が<u>あります</u>。うちで3時間べんきょうします。それから、テレビを<u>みます</u>。ときどき、家族に手紙を<u>かきます</u>。12時にねます。

だれに机をもらいましたか。

1. 次の文を聞いてください。その文と絵が合っていたら○、ちがっていたら×をつけてください。

___解答___

例○　①×　②○　③×　④○　⑤×

2. 例のように選んでください。その後で確かめてください。

___解答___

例a　①b　②a　③a　④b　⑤a

1. マリアさんとチンさんが話しています。だれがだれに机をもらいましたか。そして、だれにあげましたか。（　）に名前を書いてください。

2. だれが机を買いましたか。書いてください。

___解答___

1.（左から）チンさんのおじさん，　ヤンさん　2. チンさんのおじさん

　きのうはマリアさんの誕生日でした。わたしはマリアさん（に）テレフォンカード（を）あげました。リンさんもチンさんもマリアさん（に）テレフォンカード（を）あげました。マリアさん（は）テレフォンカード（を）たくさんもらいました。マリアさんは、夜、そのカードで国の家族（に）電話をかけました。

10 何^{なに}をしに行^いきますか。

1．会話^{かいわ}を聞^きいて、例^{れい}のように正^{ただ}しい答^{こた}えを選^{えら}んでください。

解答
───────────────────────

例a　①c　②b　③b　④a　⑤a

2．短^{みじか}い会話^{かいわ}を聞^きいてください。次^{つぎ}にa・b・cの文^{ぶん}を聞^きいて、会話^{かいわ}の内容^{ないよう}と合^あっているものを一^{ひと}つ選^{えら}んでください。

解答
───────────────────────

例b　①b　②c　③b

会話^{かいわ}を聞^きいて、質問^{しつもん}の答^{こた}えを選^{えら}んでください。

解答
───────────────────────

①b　②c　③c

わたしは今^{いま}、東京^{とうきょう}（に）います。今年^{ことし}（の）4月^{しがつ}（に）コンピュータ（の）勉強^{べんきょう}（に）きました。毎朝^{まいあさ}8時^{はちじ}（に）うち（を）でます。バス（で）大学^{だいがく}（に）いきます。9時^{くじ}に研究室^{けんきゅうしつ}（に）はいります。毎日^{まいにち}いそがしいです。

11 この旅館は建物が古いです。

1．会話を聞いて、例のように絵を選んでください。

― 解答 ―

例 b　①e　②f　③a　④g　⑤d

2．クイズをしましょう。わたしは何ですか。例のように選んでください。

― 解答 ―

例 a　①f　②d　③c

ここはどんな旅館ですか。会話を聞いて、例のように線を書いてください。

― 解答 ―

例　たてものが —ふるいです，　にわが—ひろいです，　へやが—きれいです，

りょうりが—おいしいです，　ねだんが—やすいです

リンさんはまだ日本語（が）よくわかりませんから、毎日、日本語（を）べんきょうします。

日本語の授業は3時（に）おわります。それから、レストラン（で）アルバイト（を）します。

1週間（に）3回、5時（から）9時（まで）はたらきます。この店（は）料理（が）おいし

いですから、いつもお客（で）いっぱいです。

12

缶コーヒーは甘いですから、あまり飲みたくないです。

 1．例のように選んでください。その後で確かめてください。

━解答━

例b　①b　②b　③a　④a　⑤b

2．次の会話を聞いて、例のように、ジョンさんの気持ちを「〜たい」か「〜たくない」を使って書いてください。

━解答━

例　けっこんしたいです　①のみたいです（ほしいです）　②かいたいです（ほしいです）

③いきたくないです　④したいです，したくないです

 男の人はどんなコーヒーが好きですか。会話を聞いて、正しい答えを一つ選んでください。

━解答━

b

1．今日は土曜日ですから、ぎんこうはやすみです。
2．頭が痛いですから、がっこうをやすみます。
3．まだおなかがすきません。
4．日本のおちゃはすきではありません。

14

13 <ruby>新宿<rt>しんじゅく</rt></ruby> はどんな<ruby>町<rt>まち</rt></ruby>でしたか。

Tape 2-A CD 2-4

1．<ruby>例<rt>れい</rt></ruby>のように<ruby>正<rt>ただ</rt></ruby>しいほうを<ruby>選<rt>えら</rt></ruby>んでください。その<ruby>後<rt>あと</rt></ruby>で<ruby>確<rt>たし</rt></ruby>かめてください。

解答

例a　①b　②b　③a　④a

2．<ruby>短<rt>みじか</rt></ruby>い<ruby>会話<rt>かいわ</rt></ruby>を<ruby>聞<rt>き</rt></ruby>いてください。その<ruby>後<rt>あと</rt></ruby>で<ruby>文<rt>ぶん</rt></ruby>を<ruby>言<rt>い</rt></ruby>いますから、<ruby>会話<rt>かいわ</rt></ruby>の<ruby>内容<rt>ないよう</rt></ruby>と<ruby>合<rt>あ</rt></ruby>っていたら◯、ちがっていたら✕をつけてください。

解答

例✕　①◯　②✕　③◯　④✕

1．<ruby>男<rt>おとこ</rt></ruby>の<ruby>人<rt>ひと</rt></ruby>と<ruby>女<rt>おんな</rt></ruby>の<ruby>人<rt>ひと</rt></ruby>は<ruby>東京<rt>とうきょう</rt></ruby>の<ruby>都庁<rt>とちょう</rt></ruby>へ<ruby>行<rt>い</rt></ruby>きました。<ruby>二人<rt>ふたり</rt></ruby>の<ruby>会話<rt>かいわ</rt></ruby>を<ruby>聞<rt>き</rt></ruby>いて、<ruby>１９７０年<rt>せんきゅうひゃくななじゅうねん</rt></ruby>ごろの<ruby>新宿<rt>しんじゅく</rt></ruby>の<ruby>絵<rt>え</rt></ruby>を<ruby>選<rt>えら</rt></ruby>んでください。

2．もう<ruby>一度<rt>いちど</rt></ruby><ruby>会話<rt>かいわ</rt></ruby>を<ruby>聞<rt>き</rt></ruby>いてください。<ruby>次<rt>つぎ</rt></ruby>にa・b・c・dの<ruby>文<rt>ぶん</rt></ruby>を<ruby>聞<rt>き</rt></ruby>いて、<ruby>会話<rt>かいわ</rt></ruby>の<ruby>内容<rt>ないよう</rt></ruby>に<ruby>合<rt>あ</rt></ruby>っているものを<ruby>一<rt>ひと</rt></ruby>つ<ruby>選<rt>えら</rt></ruby>んでください。

解答

1．b　　2．c

<ruby>２月１５日<rt>にがつじゅうごにち</rt></ruby>はあまり<u>さむくなかった</u>です。<ruby>天気<rt>てんき</rt></ruby>も<u>よかった</u>です。

<ruby>２月１６日<rt>にがつじゅうろくにち</rt></ruby>は<ruby>雪<rt>ゆき</rt></ruby>でした。たいへん<u>さむかった</u>です。

<ruby>２月１７日<rt>にがつじゅうしちにち</rt></ruby>はまた、<u>いいてんきになりました</u>。<ruby>少<rt>すこ</rt></ruby>し<u>あたたかくなりました</u>。

14 日本とタイではどちらが大きいですか。

1. 会話の内容と合っている絵に○、ちがうものに✕をつけてください。

解答

例✕　①○　②✕　③○　④○　⑤✕

2. 例のように正しい会話を選んでください。

解答

例a　①b　②b　③b　④a

3. 短い会話を聞いてください。女の人の答えをよく聞いて、会話の内容と合っているものを選んでください。

解答

例b　①a　②b　③a

日本とタイではどちらが大きいですか。次の会話を聞いてください。

1. 日本とタイではどちらが大きいですか。正しいほうに○をつけてください。

2. もう一度会話を聞いて、例のように質問の答えを選んでください。

解答

1.　b　　2. 例　中国　①日本　②フィリピン　③タイ

日本には北海道、本州、九州、四国のよっつのおおきい島があります。ちいさい島もたくさんあります。

いちばん大きい島は本州です。北海道と九州では北海道のほうがずっと大きいです。四国は九州ほどおおきくないです。

15 タンさんは何をしていますか。

1．例のように質問の答えを完成してください。その後で確かめてください。

――解答――――――――――

例1　つくっています　例2　しています　①あらっています　②よんでいます

③しています　④きています　⑤かいています

2．これからリーさんの1日の生活を説明します。絵を見ながら聞いてください。

――解答――――――――――

a✕　b✕　c✕　d○　e✕

1．ここは留学生会館のロビーです。マリアさんとタンさんはどの人ですか。例のように選んでください。

2．マリアさんとタンさんは何をしていますか。書いてください。

――解答――――――――――

1．例 ジョンさん－a，マリアさん－b，タンさん－c，　2．マリア－（えいごの）しんぶんをよんでいます，タン－おんがくをきいています

　わたしは今、留学生教育センターで日本語をべんきょうしています。大学で、柔道もならっています。毎日れんしゅうしています。先生やせんぱいがきて、教えます。1週間に1回、土曜日には日本人の学生に韓国語をおしえています。

16 <ruby>写真<rt>しゃしん</rt></ruby>をとってもいいですか。

Tape 2-B　CD 2-7

1. <ruby>女<rt>おんな</rt></ruby>の<ruby>人<rt>ひと</rt></ruby>はどうしますか。<ruby>会話<rt>かいわ</rt></ruby>を<ruby>聞<rt>き</rt></ruby>いて、<ruby>例<rt>れい</rt></ruby>のように<ruby>選<rt>えら</rt></ruby>んでください。

━解答━

例b　①b　②a　③a　④b　⑤b

2. <ruby>例<rt>れい</rt></ruby>のように<ruby>書<rt>か</rt></ruby>いてください。その<ruby>後<rt>あと</rt></ruby>で<ruby>確<rt>たし</rt></ruby>かめてください。

━解答━

例　しめてください　①つけてください　②あらってください　③はこんでください

④かしてください　⑤ください

3. <ruby>男<rt>おとこ</rt></ruby>の<ruby>人<rt>ひと</rt></ruby>は<ruby>何<rt>なに</rt></ruby>をしますか。<ruby>例<rt>れい</rt></ruby>のように<ruby>選<rt>えら</rt></ruby>んでください。<ruby>女<rt>おんな</rt></ruby>の<ruby>人<rt>ひと</rt></ruby>のことばのアクセントや<ruby>発音<rt>はつおん</rt></ruby>によく<ruby>注意<rt>ちゅうい</rt></ruby>して<ruby>聞<rt>き</rt></ruby>いてください。

━解答━

例a　①c　②b　③a　④b

<ruby>小学生<rt>しょうがくせい</rt></ruby>と<ruby>先生<rt>せんせい</rt></ruby>の<ruby>会話<rt>かいわ</rt></ruby>を<ruby>聞<rt>き</rt></ruby>いて、aからeの<ruby>文<rt>ぶん</rt></ruby>が<ruby>会話<rt>かいわ</rt></ruby>の<ruby>内容<rt>ないよう</rt></ruby>と<ruby>合<rt>あ</rt></ruby>っていたら○、ちがっていたら×をつけてください。はじめに<ruby>少<rt>すこ</rt></ruby>しaからeの<ruby>文<rt>ぶん</rt></ruby>を<ruby>読<rt>よ</rt></ruby>んでください。では<ruby>始<rt>はじ</rt></ruby>めます。

━解答━

a×　b○　c×　d×　e○

① a. シャツを<u>きて</u>ください。

　　b. りんごを<u>きって</u>ください。

② a. えんぴつを<u>かして</u>ください。

　　b. わたしの<ruby>本<rt>ほん</rt></ruby>を<u>かえして</u>ください。

③ a. さとうを<u>とって</u>ください。

　　b. あちらの<ruby>道<rt>みち</rt></ruby>を<u>とおって</u>ください。

④ a. あした<u>きて</u>ください。

　　b. もういちど<u>きいて</u>ください。

⑤ a. たばこを<u>すって</u>います。

　　b. <ruby>散歩<rt>さんぽ</rt></ruby>を<u>して</u>います。

17 みんな来ています。

1．短い会話を聞いてください。次にa・bの文を聞いて、会話の内容に合っているほうを選んでください。

――解答――――――――――――――――

例b　①a　②b　③b　④b　⑤b

2．文を途中まで言います。正しいほうを選んで文を完成させてください。その後で確かめてください。

――解答――――――――――――――――

例a　①b　②a　③a　④a　⑤b　⑥a

3．女の人はこれから何をしますか。例のように選んでください。

――解答――――――――――――――――

例a　①b　②b　③a　④b　⑤a

今日は田中さんの部屋はいつもよりきれいです。どうしてですか。

　どうして田中さんの部屋はいつもよりきれいですか。a・b・cの中から一つ選んで○をつけてください。

――解答――――――――――――――――

c

　今日は朝はいい天気でしたが、午後からそらがくらくなって、雨が降ってきました。わたしはかさをもっていませんでした。それで、リンさんの授業が終わるまで、まっていました。そして、リンさんのかさにはいって、かえりました。わたしはリンさんとおなじだいがくのりょうにすんでいます。帰ると、へやのまどがあいていました。けさ、天気がよかったので、まどを閉めないで出かけたのです。

19

18 これはかぜの薬で、それはおなかの薬です。

1．どんな形容詞を使っていますか。例のように選んでください。

―解答―

例　おおきい，おもい　①かたい，まずい　②やさしい，きれいな　③せまい，きたない

④かるい，やわらかい　⑤とおい，さびしい

2．例のように選んでください。その後で確かめてください。

―解答―

例b　①b　②b　③a　④b

3．短い会話を聞いてください。次に、a・b・cの文を聞いて、会話の内容と合っているものを一つ選んでください。

―解答―

例c　①b　②b　③a

1．リーさんは体の調子が悪くて、お医者さんに行きました。リーさんはどこが悪いですか。
（　）に○を書いてください。

2．リーさんはどんな薬の袋をもらいましたか。もう一度会話を聞いて、選んでください。

―解答―

1．b，c，f　2．c

　夏休みに北海道の札幌へホームステイに行きました。札幌は北海道でいちばんおおきいまちで、人口は160万人ぐらいです。夏はすずしくて、とてもきもちがいいです。ホストファミリーは皆さん親切で、ホームステイはほんとうにたのしかったです。

19 ラーメンを10ぱい食べることができます。

1．例のように、適当な動詞を選んで、文を完成してください。その後で確かめてください。

解答

例　ひく，b　①かく，a　②およぐ，b　③りょこうする，a　④きる，b　⑤あらう，a

2．会話を聞いて、例のように書いてください。

解答

例　ねる　①けっこんする　②きょうかしょをよむ　③うちへかえる　④ビデオをみる

⑤いえをでる

4人の人はそれぞれどんなことができますか。会話を聞いて、答えを書いてください。

解答

マリア―（じょうずに）うたをうたう，　ソン―ギターをひく，　ワン―（じょうずに）

りょうりをつくる，キム―ラーメンを10ぱいたべる，

　わたしのしゅみはおかしをつくることです。いろいろなケーキをつくることができます。夢はフランスへおかしの勉強にいくことです。今はフランス語をはなすことはできませんが、フランスへいくまえに上手になりたいです。

21

銀行へ行かなければなりません。

Tape 3-A CD 3-4

 1．男の人はどうしますか。例のようにa・b・cの中から一つ選んで○をつけてください。

解答

例a ①a ②b ③a ④a ⑤b ⑥c

2．短い会話を聞いて、その会話の内容と合っている絵を選んでください。

解答

例a ①b ②g ③d ④e ⑤c ⑥f

妹がお姉さんと話しています。お姉さんは毎日どんなことををしなければなりませんか。後で文を言いますから、会話の内容と合っているものに○をつけてください。

お姉さんは何をしなければなりませんか。

解答

b，d，e，g

 文を途中まで言います。次にどんなことばが続くか考えて、動詞を「～なければなりません」「～なくてもいいです」「～ないでください」の形にして書いてください。

例　A：あした、学校へ行きますか。

　　B：あしたは日曜日ですから、学校へ<u>いかなくてもいいです</u>。

① A：まだ、この薬を飲まなければなりませんか。

　　B：もう、熱がありませんから、この薬は<u>のまなくてもいいです</u>。

② A：部屋の鍵をかけなくてもいいですか。

　　B：いいえ、この部屋にはたいせつな機械がありますから、鍵を<u>かけなければなりません</u>。

③ A：ここに車を止めてもいいですか。

　　B：いいえ、家の前ですから車を<u>とめてはいけません</u>。

④ A：アルバイトをしなければなりませんか。

　　B：いいえ、奨学金がありますから、アルバイトを<u>しなくてもいいです</u>。

21 スキーをしたことがありますか。

1. 短い会話を聞いてください。次にa・bの文を聞いて、会話の内容に合っているほうを選んでください。

解答

例a　①b　②a　③a　④a　⑤b　⑥b

2. 会話を聞いて、例のように絵を選んでください。

解答

例a　①e　②c　③b　④g　⑤d　⑥f

女の人と男の人はスキーをしたことがありますか。会話を聞いて正しいものに○を書いてください。

解答

①a　②c　③b　④a

①一週間前にきっぷをかったほうがいいです。

②あしたは6時に出発しますから、はやくねたほうがいいです。

③食事の後で、すぐうんどうしないほうがいいです。

④この薬を飲んだ後で、くるまをうんてんしないほうがいいです。

⑤かぜですから、2、3日かいしゃをやすんだほうがいいです。

22 どこかへ行った？

1. 女の人と男の人と、どちらがていねいに話していますか。ていねいなほうに○をつけてください。

解答

例 女　①女　②男　③男　④女　⑤女　⑥女

2. 短い会話を聞いてください。その後で質問を聞いて、正しい答えを選んでください。

解答

例a　①b　②a　③a　④b　⑤b

はじめに解答用紙のラタナさんの日記を読んでください。それから、ラタナさんとせんぱいのチャンさんの会話を2回聞いてください。そして、例のように普通体で日記を完成してください。では始めます。

解答

6月20日（日曜日）晴れ

　　毎日雨がふっていたが、今日はいい天気だった。田中さんと二人で鎌倉へいった。新宿から小田急線で藤沢までいった。そこから、江の電にのりかえた。窓からきれいな海がみえた。藤沢から鎌倉まで30分ぐらいだった。

　　鎌倉は古い町だ。1180年から150年間、日本の中心だった。古いお寺や大仏もある。今日はほんとうにたのしかった。

23 ホテルのロビーに集まると言ってください。

Tape 3-B CD 3-7

 1. 女の人は何と言いましたか。会話を聞いて、例のように答えを書いてください。

―解答―

例　でんわする　①やすむ　②ひまだ，こないか　③だいがくせいじゃない（だいがくせいでは

ない）　④いる

2. 次のような場合、日本語で何と言いますか。適当なほうに○を書いてください。

―解答―

例a　①b　②a　③b　④a　⑤b

 はじめにヤンさんのメモを読んでください。では、会話を聞いて、正しいメモを選んでください。

―解答―

c

 　書きとりは難しい。いつもテープに「ちょっとまってください」と言いたくなる。はじめの二つ、三つのことばはききとることができるが、あとはすぐ忘れる。ほんとうに困る。けれども、先生は書きとりは毎日しなければならない、と言う。わたしもそう思うが、なかなか好きになることができない。何かいいほうほうはないだろうか。

24 いくつまで生きるでしょうか。

1. 適当な会話を選んでください。

―解答―――――――――――――――――
例b　①a　②a　③b　④b　⑤b

1. 次の会話を聞いてください。山中さんの手はどれでしょうか。

2. もう一度会話を聞いてください。男の人は山中さんの手を見て、何と言っていますか。a・b・c・dの文の中で会話の内容に合っているものに○をつけてください。

―解答―――――――――――――――――
1. b　　2. b, c

こんばんは。全国の天気です。

今日は北海道から九州までよく晴れて、あたたかいいちにちでしたが、明日は西のほうから

あめになるでしょう。九州はあさからあめ、大阪も昼ごろにはあめがふりだすでしょう。東京

から北ははれのちくもりでしょう。

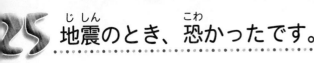

25 地震のとき、恐かったです。

次の会話で女の人は何と言っていますか。例のように選んでください。

―解答―

例b　①a　②a　③b　④b　⑤a　⑥b

会話を聞いて①から④までの文を完成させてください。はじめに文を読んでください。

―解答―

①じしんがきた　②ゆれている　③ひがちかくにこない　④すいどうやでんきがとまっている

　　今日、わたしは成田へわたしの国の友達を迎えに行きました。車で行きました。友達は午後5時に成田に着きます。道路ははじめのうちはすいていました。ところが、だんだんこんできて、ぜんぜん進まなくなりました。くるまがとまっているあいだ、わたしはとても心配でした。友達がなりたについたとき、わたしがいないと友達はきっと困るでしょう。友達が成田につかないうちに、わたしがさきに成田に着かなければなりません。4じはんになりたについたとき、わたしは本当にほっとしました。

編輯出版

 日本語教材を開発する

大新書局
http://www.dahhsin.com.tw

地　址：台北市大安區(106)瑞安街256巷16號
電　話：(02)2707-3232・2707-3838・2707-6707
傳　真：(02)2701-1633・郵政劃撥帳號：00173901
E-mail：dhlin@dahhsin.com.tw